# B E R L I N

Fotografien von Wolfgang Scholvien

# BERLIN

Fotografien von

Wolfgang Scholvien

nicolai

*Für meinen Vater*

Mein besonderer Dank gilt: André, Billy, Jörg und Mike


Vorwort und Bildlegenden: Diethelm Kaiser, Berlin
Übersetzungen: June Inderthal (englisch), Maria Cristina Francesconi (italienisch), Masami Ono-Feller (japanisch)

Wir danken Wolfgang Volz für die Genehmigung zum Abdruck des Bildes auf den Seiten 22/23.

Repros: Michael Maria Müller, artificial image, Berlin
Druck: Aumüller Druck, Regensburg
Bindung: Kunst- und Verlagsbuchbinderei Leipzig



ISBN 3-89479-190-x

# Einleitung

Selten ist Berlin so gezeigt worden. Wolfgang Scholvien präsentiert die Stadt in ruhigen, klar komponierten, großformatigen Farbbildern, bei denen zunächst eines auffällt: ihre brillante Schärfe und ihre technische Perfektion. Es ist, als habe sich ein Schleier von der Hauptstadt gehoben, als werde hier ins Licht gerückt, was sonst im Unscharfen und Verborgenen bleibt. Jedes ornamentale Detail am Reichstagsgebäude wird sichtbar, die Silhouette der Hochhäuser am Potsdamer Platz ist noch im Bildhintergrund kristallscharf gezeichnet, und selbst der Himmel über Berlin scheint auf den Bildern Wolfgang Scholviens von mehr Klarheit durchdrungen, als man es gewöhnt ist.

Schnell allerdings begreift der Betrachter, dass es dem Fotografen keineswegs nur um diese technische Brillanz geht. Sie ist vielmehr die notwendige Voraussetzung dafür, sein eigentliches Anliegen zu realisieren, eine ungewöhnlich genaue und intensive Wahrnehmung der Stadt, eine Hinwendung zu ihr, die sowohl die großen Charakterzüge bewundert als auch die Einzelheiten würdigt. Diese Annäherung an Berlin wählt aus, sie inszeniert, gestaltet, und manchmal verklärt sie auch.

Die fotografischen Annäherungen Wolfgang Scholviens gelten in diesem Band hauptsächlich den »großen« Motiven Berlins vom Brandenburger Tor bis zum Charlottenburger Schloss, vom neuen Potsdamer Platz bis zum restaurierten Olympiastadion. Auf den Bildern wirken sie mächtig, aber nie kolossal, Respekt einflößend, aber nie spektakulär. Man könnte diese Art der Darstellung als harmonische Monumentalisierung bezeichnen.

Besonders deutlich wird sie bei den signifikanten Einzelbauten Berlins wie dem Reichstag oder dem Bundeskanzleramt, die aus unterschiedlichen Perspektiven gezeigt werden. Nicht zufällig taucht vor allem der Reichstag mehrmals auf: Das von 1884 bis 1894 nach Plänen von Paul Wallot errichtete Gebäude, heute wieder Sitz des Deutschen Bundestages, ist eines der markantesten Bauwerke des neuen Berlin. Die von dem britischen Architekten Lord Norman Foster entworfene, im Inneren begehbare gläserne Kuppel hat dem mächtigen kaiserzeitlichen Rechteckbau viel von seiner Düsternis genommen und ihm fast ein wenig Leichtigkeit verliehen.

Einen Kontrapunkt dazu bildet das in Sichtweite stehende neue Bundeskanzleramt, dessen Fassade durch gewaltige Stelen aufgelöst ist und mit den großen Glasflächen im Inneren durchlässig, in seinen äußeren Dimensionen dagegen monumental wirkt. Zusammen mit dem Paul-Löbe- und dem Marie-Elisabeth-Lüders-Haus, die Arbeitsräume für die Mitglieder des Deutschen Bundestages beherbergen, bildet das Kanzleramt eine prägnante städtebauliche Figur, das so genannte »Band des Bundes«.

Der Reichstag – und das auf dem Eröffnungsbild gezeigte Brandenburger Tor – auf der einen, das Bundeskanzleramt auf der anderen Seite stehen paradigmatisch für das traditionelle und für das moderne Berlin. Wolfgang Scholvien lässt sich von beiden Ansichten der Hauptstadt faszinieren. Mit besonderem Feinsinn und unverhohlener Sympathie hat er die eindrucksvollen baulichen Zeugnisse des preußischen Klassizismus fotografiert: Andreas Schlüters Zeughaus am Boulevard Unter den Linden (mit dem kongenialen Erweiterungsbau des amerikanischen Architekten Ieoh Ming Pei), Karl Friedrich Schinkels Altes Museum auf der Museumsinsel und sein Schauspielhaus am Gendarmenmarkt, Friedrich August Stülers Alte Nationalgalerie – um hier nur die wichtigsten zu erwähnen. Gerade in der fotografischen Inszenierung dieser Bauwerke trifft Scholvien stets den richtigen »Ton«, seine Bilder zeigen die Gebäude in ihrem selbstbewussten, repräsentativen Gestus, aber sie üben zugleich Zurückhaltung und halten einfühlsam genau das Maß, das schon diesen Baumeistern, allen voran Schinkel, in ihrem Metier oberstes Prinzip war.

Aber es gelingt Wolfgang Scholvien auch, den urbanen Reiz der modernen Zentren Berlins einzufangen, etwa das Kulturforum mit der Gemäldegalerie und der Philharmonie von Hans Scharoun aus den sechziger Jahren oder das neue, kurz vor der Jahrtausendwende gebaute Areal am Potsdamer Platz. Gerade in den Aufnahmen vom Sony Center Helmut Jahns oder vom Bürohochhaus Hans Kollhoffs erweist sich einmal mehr die besondere Freude des Fotografen an der Berliner Architektur – vor allem wenn sie beides zugleich verkörpert, das Machtvolle, Gewaltige und das Filigrane, Transparente.

Ein besonderes Augenmerk gilt den städtebaulichen Situationen, in denen das Alte mit dem Neuen konfrontiert wird. Und Wolfgang Scholvien scheut sich nicht, mit entsprechend großer Brennweite des von ihm benutzten Objektivs diesen Effekt noch zu verschärfen. Ein besonders eindrückliches Beispiel ist die Aufnahme, in der die Quadriga auf dem Brandenburger Tor fast direkt an den Reichstag herangeschoben wird. Noch dramatischer wirkt das Bild, das in dichter Staffelung Moltkebrücke, Schweizer Botschaft, das Paul-Löbe-Haus und den Reichstag zeigt. Hier schließen sich mehrere Gebäude aus unterschiedlichen Zeiten zu einem Kordon aus Glas, Stahl und Mauerwerk zusammen, aus dem jeglicher Raum gewichen ist. So vielfältig, so dicht aneinander gefügt kann sich Geschichte in Berlin präsentieren. Andere Bilder wiederum zeigen den freien Raum, der aus den eben genannten Fotografien verbannt ist, als weite, großzügige Stadtlandschaft – am Kulturforum, an der Oberbaumbrücke – oder auch als große Himmelswand, die sich machtvoll über der Stadt erhebt. Auch hier wird der Hang zum Monumentalen deutlich.

Zuweilen zeigt sich Wolfgang Scholvien in der Wahl seiner Ausschnitte als radikaler Ästhet. Er nimmt sich das Recht heraus, Gebäude auf ein charakteristisches Detail zu reduzieren, sei es die Kuppel auf dem ehemaligen Postfuhramt oder, noch deutlicher, die Säulenhalle der Siegessäule am Großen Stern im Tiergarten: Die Säule selbst bleibt ausgeblendet. Dennoch ist sie auf dem Bild präsent. Dieses Verfahren ist eigenwillig, aber keineswegs beliebig. Im Überblick wie im Detail ist stets ein Konzept erkennbar. Mit seinen Aufnahmen knüpft Scholvien an die Tradition der Vedutenmalerei an, jener im 18. Jahrhundert aufblühenden, von den beiden Canalettos angeführten Richtung der Malerei, die sich zum einen das Ziel setzte, die Städte möglichst getreu wiederzugeben, sich aber in den *Vedute ideate*, den idealen Ansichten, die Freiheit nahm, Bauten, die in der Realität nicht zusammengehören, im Bild zu vereinen. Natürlich vermag der Fotograf Scholvien nicht, Gebäude zu versetzen, wie es ihm gefällt, aber er sucht mit Vorliebe Standpunkte, von denen aus sich Konstellationen ergeben, die seinen Ansprüchen von Harmonie gerecht werden. Mitunter verschiebt er mit dem Teleobjektiv auch einzelne Teile der Stadt wie Kulissen. Die ungewohnten Perspektiven ermöglichen es ihm, aus den realen Gegebenheiten Bausteine seiner Idealansicht Berlins zu machen.

Ihre besondere, unverwechselbare Qualität und ihre eigentümliche Spannung erhalten die Fotografien aber durch ein weiteres Moment, das die formale Strenge und auch das Monumentale mildert. Dieses Moment ist das Licht, das in den Bildern leuchtet und ihnen eine jeweils eigene Stimmung verleiht. Die Architektur Berlins wird für Wolfgang Scholvien zur Bühne für ein Spiel der Farben. Diese ausgefeilten fotografischen Inszenierungen, wie etwa die Ansicht der Schlossbrücke Unter den Linden mit der wieder aufgebauten Alten Kommandantur, gehören zu den Höhepunkten seiner Berlin-Serie.

Am Ende weitet sich der Blick über Berlin hinaus. Die in der Stadt dominierenden architektonischen Elemente treten nun in den Hintergrund, in Babelsberg, am Heiligen See, im Park von Sanssouci fügen sie sich harmonisch ins Farbenspiel der umgebenden Natur ein. Die letzten Fotografien zeigen Landschaften im Umkreis von Berlin. Auch diese Idyllen gehören zur Großstadt, sie sind die andere Seite der Metropole.

# Introduction

This is Berlin as we have rarely seen it. Wolfgang Scholvien presents the city in calm, clearly composed, large-formatted colour photographs, the brilliant sharpness and technical perfection of which strike us immediately. It is as if a veil has been lifted from the capital, as if that which normally remains blurred and undetected is here shifted into the spotlight. Every ornamental detail of the Reichstag building becomes visible; the silhouette of the high-rise buildings at Potsdamer Platz is crystal clear, although in the background of the picture, and even the sky above Berlin in Wolfgang Scholvien's pictures appears clearer than usual.

The observer, however, quickly grasps that, on no account, is the photographer solely concerned with this technical brilliance. It is far more the necessary prerequisite for realising that which really interests him, namely, an unusually exact and intensive perception of the city, an approach which not only admires the great character traits, but also honours the details. This closer observation of Berlin selects, stages, forms, and sometimes, it also transfigures.

In this volume, Wolfgang Scholvien's photographic observations are directed primarily at Berlin's "great" subjects, from the Brandenburger Tor to the Charlottenburger Schloss, from the new Potsdamer Platz to the renovated Olympic stadium. In the pictures, they appear mighty, but never colossal, inspiring respect, but never spectacular. One could describe this type of portrayal as harmonious "monumentalisation".

This becomes especially clear with regard to significant individual buildings in Berlin such as the Reichstag or the Federal Chancellery, both of which are shown from different perspectives. It is not simply by chance that the Reichstag, in particular, appears on a number of occasions. The building, which was erected between 1884 and 1894 based on plans by Paul Wallot, and which is today, once more, the seat of the Federal Parliament, is one of the most striking buildings of the new Berlin. The glass dome, with its spiral interior walkway, was designed by the British architect Lord Norman Foster. It has removed much of the gloominess from the mighty rectangular building of the imperial era, and lent it, one could almost say, a little lightness.

Forming a counterpoint to this is the new Federal Chancellery, standing within view of the Reichstag, its façade punctuated by huge blocks and, with the large glass surfaces in its interior, appearing permeable, whilst, in contrast, seeming massive in its outward dimensions. Together with Paul-Löbe-Haus and Marie-Elisabeth-Lüders-Haus, home to the offices of the members of the Federal Parliament, the Chancellery cuts a concise figure in urban building, the so-called "Band des Bundes".

The Reichstag and the Brandenburger Tor, seen in the opening photograph, on the one side and the Federal Chancellery on the other, represent paradigmatically the traditional and the modern Berlin. Wolfgang Scholvien is fascinated by both faces of the capital. He has photographed the impressive architectural testimony to Prussian classicism with particular sensitivity and unconcealed sympathy: Andreas Schlüter's Zeughaus on the boulevard Unter den Linden (with the congenial extension by the American architect Ieoh Ming Pei), Karl Friedrich Schinkel's Altes Museum on the Museumsinsel and his Schauspielhaus on the Gendarmenmarkt, Friedrich August Stüler's Alte Nationalgalerie – just to mention the most notable examples. It is precisely in the photographic staging of these buildings that Scholvien always manages to hit just the right "tone". His pictures show the buildings with their self-confident, imposing air, but at the same time they exercise restraint and maintain, with sensitivity, exactly the right dimension which for these master builders, above all for Schinkel, was already the most important principle of their métier.

But Wolfgang Scholvien also manages to capture the urban attraction of Berlin's modern centres such as the Kulturforum with the Gemäldegalerie and the Philharmonie, built by Hans Scharoun in the 1960s, or the new Potsdamer Platz area, built shortly before the turn of the millennium. It is especially in the photographs of Helmut Jahn's Sony Center or Hans Kollhoff's high-rise office building that the particular pleasure which the photographer takes in Berlin's architecture is once again evident – above all, when it simultaneously incorporates the powerful and strong, the delicate and transparent.

Special attention is paid to the scenes of urban development, where old and new come face to face. And Wolfgang Scholvien is not afraid to intensify this effect, by increasing the focal length of his lens accordingly. One particularly flattened example is the shot in which the Quadriga atop the Brandenburger Tor is pushed almost right up to the Reichstag. Even more dramatic is the photograph depicting the Moltkebrücke, the Swiss Embassy, Paul-Löbe-Haus and the Reichstag, lined up closely one behind the other. Here, several buildings from various periods are fused in a cordon of glass, steel and stonework, from which all space has been removed. So varied, yet so closely entwined, can history in Berlin present itself! Other pictures, however, depict the open spaces missing in the above-mentioned photographs as wide, spacious urban landscape – at the Kulturforum, at the Oberbaumbrücke – or even as the great celestial backdrop which rises impressively above the city. Here, too, there is a clear tendency towards the monumental.

At times, Wolfgang Scholvien shows himself to be a radical aesthete in his choice of details. He allows himself the right to reduce buildings to one characteristic element, whether it be the dome atop the Postfuhramt, the former post-office building, or, as an even clearer example, the columned hallway of the Siegessäule memorial at the Großer Stern in Tiergarten. The column itself remains faded out, but is, nevertheless, present in the picture. This procedure is individual, but by no means random. A concept is always present, visible in both the overall view and in the detail. Through his photographs, Scholvien forms a tie with the tradition of *vedute* painting, that artistic direction which blossomed in the 18th century, led by the two Canalettos. Its aim was, on the one hand, to reproduce cities as faithfully as possible, whilst on the other hand, in the "vedute ideate", the idealised views, allowing itself a certain artistic licence in bringing together buildings which in reality did not belong together. Of course, Scholvien, the photographer, is not able to simply move buildings around just as he pleases, but he does particularly like choosing locations which give rise to constellations which do justice to his demands for harmony. And using his telephoto lens, he sometimes also moves individual parts of the city around like theatrical scenery. The unfamiliar perspectives allow him to use what is actually there to form the building blocks of his idealised view of Berlin.

The special, unmistakable quality of the photographs and their peculiar air of excitement are achieved, however, through a further moment, which lessens both the formal stringency and the monumental aspect. This moment is the light which shines in the pictures, endowing each picture with its own special mood. For Wolfgang Scholvien, Berlin's architecture becomes a stage for playing with colours. These polished photographic productions, such as the view of the Schlossbrücke on Unter den Linden with the reconstructed Alte Kommandantur, are amongst the highlights of his Berlin series.

At the end, the view extends beyond Berlin. The architectural elements which dominate in the city now retreat into the background. In Babelsberg, at the Heiliger See, in Sanssouci Park, they fit harmoniously into the surrounding nature's play of colours. The final photographs are of landscapes around Berlin. These idylls are also part of the city. They are the other side of the metropolis.

## Prefazione

Di primo acchito, quella presentata in questo volume è una Berlino insolita. Wolfgang Scholvien mostra la città in foto a colori di grande formato con immagini tranquille, dalle linee pulite, che colpiscono soprattutto per la brillante nitidezza e la perfezione tecnica. È come se qualcuno avesse sollevato dalla capitale tedesca un velo che l'appannava, mettendo in luce ciò che normalmente rimane offuscato e mascherato. Del palazzo del Reichstag si distingue ogni dettaglio ornamentale, la silhouette dei grattacieli di Potsdamer Platz, pur essendo sullo sfondo, si staglia nitidissima. Nelle foto di Wolfgang Scholvien anche il cielo sopra Berlino pare di una limpidezza inusuale.

Ma all'osservatore basta poco per rendersi conto che il fotografo non è interessato solo al virtuosismo tecnico in sé, che lo considera piuttosto il mezzo necessario per ottenere una percezione insolitamente precisa ed intensa della città, per esprimere una dedizione ad essa che si traduce in ammirazione per le grandi linee e in un omaggio ai dettagli. Un approccio a Berlino che seleziona, mette in scena, modella e, talvolta, trasfigura.

Oggetto degli approcci fotografici di Wolfgang Scholvien presentati in questo volume sono soprattutto i « grandi » motivi berlinesi, dalla Porta di Brandeburgo al Castello di Charlottenburg, dalla nuova Potsdamer Platz al ristrutturato stadio Olimpico. L'effetto fotografico è d'imponenza, mai di gigantismo, incutono rispetto, ma non sono mai spettacolari. Una rappresentazione che si potrebbe definire un'armoniosa monumentalizzazione.

Un taglio narrativo che si evidenzia con particolare chiarezza nel caso dei palazzi più rappresentativi di Berlino, come il Reichstag o la Cancelleria Federale, presentati da differenti prospettive. Non è un caso che sia proprio il Reichstag ad apparire più volte. L'edificio costruito tra il 1884 ed il 1894 su progetto di Paul Wallot – ed oggi nuovamente sede del parlamento tedesco – è uno degli edifici più marcanti della nuova Berlino. La cupola in vetro agibile all'interno, disegnata dall'architetto britannico Lord Norman Foster, ha tolto alla massiccia costruzione rettangolare dell'epoca guglielmina gran parte della sua cupezza, donandole quasi un'aura di levità.

Poco distante – come un suo pendant – sorge la nuova Cancelleria Federale, con la facciata interrotta da imponenti steli e intercalata da ampie vetrate che la rendono permeabile verso l'interno, in contrasto con l'effetto monumentale delle dimensioni esterne. Assieme alla Paul-Löbe-Haus ed alla Marie-Elisabeth-Lüders-Haus, i due palazzi sede degli uffici dei parlamentari tedeschi, la Cancelleria forma il « Band des Bundes » – il cosiddetto « nastro federale » – una figura urbanistica di grande impatto.

Il Reichstag – e la Porta di Brandeburgo sulla foto d'apertura – da un lato e la Cancelleria Federale dall'altro, sono gli emblemi per eccellenza della Berlino tradizionale e di quella moderna. Due prospettive della capitale tedesca che affascinano Wolfgang Scholvien in eguale misura. È con singolare sensibilità ed aperta simpatia che l'autore ha fotografato i documenti architettonici del classicismo prussiano: l'Arsenale di Andreas Schlüter sul boulevard Unter den Linden (con la congeniale nuova ala dell'architetto americano Ieoh Ming Pei), l'Altes Museum di Karl Friedrich Schinkel sull'Isola dei Musei e, dello stesso architetto, lo Schauspielhaus a Gendarmenmarkt o la Alte Nationalgalerie di Friedrich August Stüler, per citare solo quelli di maggior rilievo. Ed è proprio nella loro messa in scena fotografica che Scholvien trova sempre il « tono » giusto, fermandoli, nelle sue foto, nel loro consapevole e significativo portamento, pur lasciando loro la riservatezza e quell'attento senso della misura che fu principio irrinunciabile degli architetti che li progettarono, primo fra tutti Schinkel.

Con la stessa abilità Wolfgang Scholvien carpisce alla città lo charme urbano degli odierni centri di Berlino, come il Kulturforum, con la Pinacoteca e la Philharmonie, progettata da Hans Scharoun negli anni Sessanta, oppure il nuovo complesso di Potsdamer Platz, sorto a ridosso del XXI secolo. Le immagini che ritraggono il Sony Center di Helmut

Jahn o la office tower di Hans Kollhoff, palesano una volta di più il particolare piacere con cui il fotografo punta l'obiettivo sull'architettura berlinese, soprattutto là dove questa incarna in un'unica struttura possanza e imponenza, raffinatezza e trasparenza.

Un occhio di riguardo è riservato a quei contesti urbanistici dove vecchio e nuovo si confrontano. Qui Wolfgang Scholvien non esista ad inasprire ulteriormente l'effetto servendosi di una maggiore lunghezza focale per l'obiettivo usato. L'immagine in cui la quadriga sulla Porta di Brandeburgo viene avvicinata fin quasi al Reichstag ne è un esempio particolarmente pregnante. D'effetto ancora più drammatico è l'immagine che mostra il Moltkebrücke, l'Ambasciata elvetica, la Paul-Löbe-Haus ed il Reichstag in ravvicinata sequenza uno dietro l'altro. Una foto in cui una serie di edifici di differenti epoche formano un cordone di vetro, acciaio e muratura, da cui si è ritirato ogni spazio. Un esempio di come a Berlino la storia possa assumere le sembianze di una variegata, ma coesa compagine. Per contro, vi sono immagini che mostrano lo spazio libero, escluso dalle foto appena citate, sotto forma di un ampio, prodigo paesaggio urbano, come nelle foto che riprendono il Kulturforum, l'Oberbaumbrücke o il cielo, che s'innalza possente sopra la città come una grande parete. Anche queste sono immagini dove si esprime la tendenza alla monumentalità.

A tratti, nella scelta degli scorci, Wolfgang Scholvien rivela essere un esteta radicale. Si prende la libertà di ridurre interi edifici ad un unico, caratteristico dettaglio, sia esso la cupola che sovrasta l'ex posta centrale o – in maniera ancora più evidente – il porticato alla base della Colonna della Vittoria al centro del Großer Stern, nel Tiergarten, immagine dove, pur non essendo visibile all'occhio, la colonna è comunque presente. Un metodo insolito, ma per nulla casuale. Nelle vedute generali come in quelle di dettaglio si riconosce sempre l'idea che le ha generate. Con i suoi scatti Scholvien si riallaccia alla tradizione del vedutismo, la corrente pittorica fiorita nel XVIII secolo e capeggiata dai due Canaletto, che, da un lato, si era posta l'obiettivo di riprodurre le città il più fedelmente possibile, mentre dall'altro, nelle cosiddette vedute ideate, si prende la libertà di riunire nello stesso dipinto costruzioni in realtà estranee tra loro. Non potendo spostare gli edifici a proprio piacimento, il fotografo Scholvien, per parte sua, predilige punti di vista dai quali risultano formazioni confacenti alle sue esigenze d'armonia. Accade anche che si serva del teleobiettivo per spostare singole porzioni di città come quinte di un teatro. Le singolari prospettive gli consentono di trasformare contesti reali in mattoni con cui costruire la propria ideale visione di Berlino.

Ma vi anche un altro elemento da cui le foto traggono la peculiare, inconfondibile qualità e la particolare tensione che gli sono proprie, che ne attenua sia la severità formale sia il tocco monumentale. È la luce che risplende nelle immagini, donando ad ognuna un'atmosfera unica. Per Wolfgang Scholvien l'architettura berlinese diventa un palcoscenico dove mettere in scena uno spettacolo di luci. I raffinati ritratti scenografici che ne risultano, come quello dello Schlossbrücke sulla Unter den Linden con la ricostruita Alte Kommandantur, sono alcuni degli apici della serie dedicata dal fotografo a Berlino.

Alla fine lo sguardo supera i confini della città e gli elementi architettonici che vi predominano passano in secondo piano. A Babelsberg, sul lago Heiliger See o nel Parco di Sanssouci si inseriscono armoniosamente nel gioco cromatico della natura circostante. Le ultime foto ritraggono paesaggi dei dintorni di Berlino, ed anche queste atmosfere idilliache fanno parte della grande città, sono l'altra faccia della metropoli.

# はじめに

ベルリンがこういう形で紹介されたことはほとんどない。ヴォルフガング・ショルヴィエンは静かにそしてはっきり構成された大判のカラー写真でこの町を見せてくれる。まず目に入るのは、その鮮明さと完璧な技術。見ていると、まるで首都から覆いが剥がされ、普段ぼんやり隠されていたものに照明があてられたかのようなのだ。帝国議会議事堂の細かな細工のひとつひとつが見えてくる。そしてポツダーマープラッツ広場の高層ビル群のシルエットが写真後方にくっきりと浮かび上がる。ヴォルフガング・ショルヴィエンの写真を見ていると、ベルリンの空でさえも、いつもよりはっきりしているような気がしてくるのだ。

この写真家にとって、写真が技術の冴えだけではないのは見ているものにはすぐわかる。この町を確かに深く把握すること、細部にも敬意を払いながらこの町の性格を大きくつかむこと、が本来の関心の的。技術は、それを実際形にするために必要な前提なのだ。こういう形で近づくことによってベルリンは、選択され、演出され、形作られ、時に輝くことになる。

この写真集のヴォルフガング・ショルヴィエンは、ブランデンブルガートーア門からシャルロッテンブルク城まで、そしてポツダマープラッツ広場から修復なったオリンピックスタジアムまでの「広大な」ベルリンのモチーフにカメラで接近している。それらが異常な巨大さではない大きさで、そして決してセンセーショナルでなく、敬意の念を起こさせるような形で写真に捉えられている。壮大さがハーモニーの中に表現されている、とでも言おうか。それが特にはっきりしてくるのが、ベルリン独特の建造物である帝国議会や連邦首相官房などで、それらが様々な視点から捉えられている。帝国議会が頻繁に登場するのは、偶然ではない：パウル・ヴァロートの設計により1884年から1894年までかかって建てられた議事堂は、今日ふたたび連邦議会の所在地となり、新しいベルリンで最も目につく建物のひとつである。イギリスの建築家ロード・ノーマン・フォスターが、内側を歩くことのできるガラスの丸天井を設計したことによって、いかめしい皇帝時代のキュービックな建築から暗さが取り去られ、軽くなった趣すらある。

それに対照的なのが、そこから目に入る距離にある連邦首相官房で、そのファサードは巨大な石柱によって開かれ、大きなガラス面により内部を見ることができ、全体の規模が壮大な印象を与える。パウル・リョーベ・ハウスとマリー・エリザベート・リューダース・ハウスには連邦議会議員らの事務所が置かれている。その両方の建物と首相官房とが都市計画上はっきりと、「連邦の連携」といわれているアンサンブルを形作っている。

連邦議会議事堂と最初の写真にあるブランデンブルガートーア門に対して、連邦首相官房の建物がベルリンの昔と今とをパラディグマ的に象徴している。ヴォルフガング・ショルヴィエンは首都をこの二つの視点から楽しませてくれる。非常に繊細に、そしてオープンに彼は印象的なプロイセンの古典主義建築の証になるものを写真にした：主な建物だけをあげても、ウンター・デン・リンデン界隈にあるアンドレアス・シュリューターによるツォイクハウス、それにぴったり合ったアメリカの建築家イョー・ミン・ペイによる増築部、博物館島にあるカール・フリードリヒ・シンケル作のアルテス・ムゼウム美術館とジャンダルメンマルクト広場の劇場、フリードリヒ・アウグスト・シュテューラーのアルテ・ナツィオナルガラリー美術館などがそれである。これら建造物の写真を通した演出の際ショルヴィエンはそれにちょうど合う「色音」を出している。彼の写真では誇らかに自分を見せている建物が同時に控えめで繊細に表わされている。シンケルを先頭に偉大な建築家たちがその仕事の中で最高の信条として堅持していた基準がそこに提示されているのだ。

ヴォルフガング・ショルヴィエンは、都会的な現代ベルリンの中心が持つ魅力をうまく引き出すことに成功している。それが見られるのが、60年代のハンス・シャロウンによるゲメールデガラリー絵画館のあるクルトゥアフォールム文化センターやフィルハーモニーや、今世紀に入る直前に全く新しくできたポツダーマープラッツ広場一帯だ。ヘルムート・ヤーンの手になったソニーセンターの写真やハンス・コルホフのオフィスビルを見ると、この写真家がベルリンの建築を愉しんでいるのがわかる。それが一番よくわかるのが、威圧的、暴力的な力と繊細さと透明さが同居している作品だ。

都市計画に新しいものと古いものとの葛藤はつきもので、そこにも目をやる必要がある。ヴォルフガング・ショルヴィエンはそれに合ったレンズを駆使し大きな焦点距離を用いることによってその効果を一層際立たせている。最も傑出した例が、ブランデンブルガートーア門上のカドリガで、これは帝国議会議事堂に近接して撮影されている。また、それよりずっと劇的な効果を見せているのが、モルトケブリュッケ橋、スイス大使館、パウル・リョーベ・ハウス、そして帝国議会が密な遠近で写っている写真である。様々な時代を背景とするたくさんの建物が、ガラスや鉄や壁の作るコルドンに一体化し、他の空間を埋めている。彼の作品はそれほど多様で密に入り混じったベルリンの歴史を見せることができるのだ。文化センターやオーバーバウムブリュッケ橋界隈の大きな都市景観、そしてこの町の上に君臨するかのような大空、といった写真たちはまた上にあげた作品にない空間を見せてくれる。そしてここでも、彼が明らかに壮大なものに惹かれているのがわかるのだ。

ヴォルフガング・ショルヴィエンの作品の一部を選んでみると、ラディカルな唯美主義者の感を与える時がある。彼は写真家の持つ特権を使って旧郵便局の丸屋根などの建物を典型的な細部に縮小する。それがもっとはっきりするのが、ティアガルテン地区、グローサー・シュテルンにある柱のホールの写真で、そのズィーゲスゾイレ、勝利の柱自体はフェードアウトしている。それでいて写真の中に厳として存在しているのだ。こういった方法は決してたまたまそうなったものではなく彼独自のものだ。全体と細部の両方がいつもコンセプトとして見えているのだ。ショルヴィエンの作品は風景画の伝統を受け継いでいる。それも18世紀に花開いた、両カナレットが導いた絵画の伝統で、町をそのままできるだけ忠実に再現することを目的とする一方、芸術家の自由をふんだんに用い、実際には同時に存在しない建物を理想の風景として一枚の絵に同居させる、というものだ。もちろん、自由に建物を移動させる力が写真家のショルヴィエンに備わっているわけではない。彼がめざす調和にふさわしい組み合わせが可能となってくるカメラ位置を彼がうまく探し出すのだ。彼は時に町の一部を舞台セットででもあるかのように望遠レンズで移動させる。その独特な視点が、現実にある構成要素を用いて彼が理想とするベルリンの景観に作りかえるわけである。

彼の写真のうちには他とまがうことのない特別な素質と独特の緊張感とが宿っている。それが厳しいほどの形や壮大なものへの傾きなどを一瞬和らげる。その瞬間が、作品の中に光をあて、それぞれに独特の雰囲気をかもしているのだ。ヴォルフガング・ショルヴィエンにとってベルリンの建築はそうして舞台の上で色彩を演技させることになる。彼のベルリンシリーズの中でも屈指の部類に属しているのが、その磨き上げられた演出の見える作品だ。たとえばウンター・デン・リンデンのシュロスブリュッケ橋とそこに再建された旧司令塔、アルテ・コマンダントゥアの写真のように。

最後に視点はベルリンを超える。町を圧するような建築物の構成要素は後方に去り、バベルスベルク、ハイリゲンゼー湖、そしてサンスーシー公園はその周りの自然の色彩と次第に一体となっていく。ベルリン周辺の景観を見せてくれる最後の写真では、こういった田園風景も大都市のものであることがわかる。メトロポールの持つもうひとつの顔として。

Blick vom Pariser Platz auf das Brandenburger Tor, eingerahmt von Haus Liebermann (rechts) und Haus Sommer.

The Brandenburger Tor on Pariser Platz, flanked by Haus Liebermann (right) and Haus Sommer.

La Porta di Brandeburgo, incorniciata da palazzo Liebermann (a destra) e palazzo Sommer, vista dall'antistante Pariser Platz.

パリーザー プラッツ広場からブランデンブルガー トーア門を望む。それを囲んでいるのはリーバーマンハウス(右)とハウス ゾマーだ。

Blick vom Pariser Platz auf das Reichstagsgebäude; im Vordergrund links die Quadriga des Brandenburger Tors, rechts das Dach des Hauses Liebermann.

View of the Reichstag from Pariser Platz; to the left, in the foreground, the Quadriga atop the Brandenburger Tor, and to the right, the roof of Haus Liebermann.

Veduta dell'edificio del Reichstag dalla Pariser Platz. In primo piano la quadriga della Porta di Brandeburgo, a destra il tetto di palazzo Liebermann.

パリーザー プラッツ広場からドイツ帝国議事堂を望む。手前左にブランデンブルガー トーア門のカドリガ、右にリーバーマンハウスの屋根が見える。

Im Inneren der gläsernen Kuppel des Reichstags mit dem zentralen Kegelelement und dem spiralförmigen Wandelgang.

Inside the glass dome of the Reichstag, with its central conical element and the spiral walkway.

Interno della cupola in vetro del Reichstag con il tronco di cono centrale e la rampa elicoidale.

ドイツ帝国議事堂のガラスの丸屋根の内側には中央に円錐状エレメントとらせん階段が見える。

DEM

Die Fassade des Reichstagsgebäudes, davor der Platz der Republik.

The façade of the Reichstag building, with Platz der Republik in front.

La facciata del palazzo del Reichstag e l'antistante Platz der Republik.

ドイツ帝国議事堂のファサードとその前のプラッツ デア レプブリク広場。

Der im Juni 1995 von den Künstlern Christo und Jeanne-Claude verhüllte Reichstag.

The “Wrapped Reichstag” of June 1995, the work of artists Christo and Jeanne-Claude.

Il Reichstag impacchettato nel luglio del 1995 dagli artisti Christo e Jeanne-Claude.

1995年にクリストとジャンヌクロードにより包まれたドイツ帝国議事堂。

Parkanlage westlich vom Garten des Bundeskanzleramts.

Park to the west of the Federal Chancellery gardens.

Parco a ovest del Giardino della Cancelleria.

連邦首相官房庭の西側にある公園のたたずまい。

Paul-Löbe-Allee am Bundeskanzleramt.

Paul-Löbe-Allee and the Federal Chancellery.

La Paul-Löbe-Allee al-l'altezza del palazzo della Cancelleria.

連邦首相官房のパウル-リョーベ-アレー通り。

Der Zentralbau des Bundeskanzleramts, flankiert von den Verwaltungsflügeln; im Ehrenhof die Stahlskulptur »Berlin« von Eduardo Chillida.

The central building of the Federal Chancellery, flanked by the administrative wings; in the Ehrenhof courtyard, Eduardo Chillida's steel sculpture "Berlin".

Il corpo centrale del palazzo della Cancelleria fiancheggiato dalle ali laterali, sede degli uffici amministrativi. Nel cortile d'onore la scultura d'acciaio di Eduardo Chillida intitolata «Berlin».

行政管理部の翼に囲まれた連邦首相官房の中央の建物。「ベルリン」と題するエドゥアルド・キリダによる鉄の像がエーレンガルテン庭に立つ。

Das Paul-Löbe-Haus, Sitz von Abgeordnetenbüros des Deutschen Bundestags; im Hintergrund das Reichstagsgebäude.

Paul-Löbe-Haus, seat of the offices of members of the Federal Parliament; in the background, the Reichstag.

La Paul-Löbe-Haus, sede degli uffici dei parlamentari tedeschi. Sullo sfondo l'edificio del Reichstag.

ドイツの連邦議会議員会館、パウル-リョーベ-ハウス。後方にドイツ帝国議事堂が見える。

Die Ostseite des Paul-Löbe-Hauses, dahinter der Reichstag. Im Vordergrund die Fußgängerbrücke über die Spree, die das Paul-Löbe-Haus mit dem Marie-Elisabeth-Lüders-Haus verbindet.

The east side of Paul Löbe-Haus, with the Reichstag behind it. In the foreground, the pedestrian bridge across the River Spree, which connects Paul-Löbe-Haus to Marie-Elisabeth-Lüders-Haus.

Il lato est della Paul-Löbe-Haus e dietro il Reichstag. In primo piano il ponte pedonale che attraversa la Sprea unendo la Paul-Löbe-Haus con la Marie-Elisabeth-Lüders-Haus.

パウル-リョーベ-ハウスの東面、後方はドイツ帝国議事堂。手前がシュプレー川にかかる歩行者用の橋で、パウル-リョーベ-ハウスとマリー-エリザベート-リューダース-ハウスとを結ぶ。

Blick über die Moltkebrücke auf Paul-Löbe-Haus und Reichstag; links die Schweizer Botschaft.

View over the Moltkebrücke to Paul-Löbe-Haus and the Reichstag; on the left, the Swiss Embassy.

Veduta sulla Paul-Löbe-Haus e sul Reichstag al di là del Moltkebrücke; a sinistra si scorge l'Ambasciata elvetica.

モルトケブリュッケ橋越しにパウル-リョーベ-ハウスとドイツ帝国議事堂を望む。左はスイス大使館。

POST

Die von zwei achteckigen Aufsätzen eingerahmte Tambourkuppel des ehemaligen Postfuhramts in der Oranienburger Straße, Ecke Tucholskystraße, heute als Ausstellungsort genutzt.

The drum-shaped dome, flanked by two octagonal cupolas, of the Postfuhramt, the former post office building on the corner of Oranienburger Straße and Tucholskystraße, today used as a venue for exhibitions.

La cupola a tamburo, fiancheggiata da due alzate ottagonali, che sovrasta il Postfuhramt, l'ex posta centrale all'angolo fra Oranienburger Straße e Tucholskystraße, oggi utilizzata come spazio espositivo.

オラーニエンブルガーシュトラーセ通りとトゥホルスキーシュトラーセ通りの角に旧郵便局がある。そのタンブル屋根は2つの八角形の頂飾で飾られていて、建物は今展覧会場として使われている。

Blick von der Marschall-brücke Richtung Reichstag und Bundeskanzleramt; links der Verwaltungskomplex des Jakob-Kaiser-Hauses sowie der ehemalige Wohnsitz des Reichstagspräsidenten.

View from the Marschall-brücke towards the Reichstag and the Federal Chancellery; on the left, the Jakob-Kaiser-Haus administrative complex and the former residence of the Presidents of the Reichstag.

Veduta verso il Reichstag ed il palazzo della Cancelleria dal Marschallbrücke. A sinistra la Jakob-Kaiser-Haus, il più grande complesso amministrativo governativo, e l'ex residenza dei presidenti del Reichstag.

マーシャルブリュッケ橋からドイツ帝国議事堂と連邦首相官房を望む。左に行政管理部一群のあるヤコブ-カイザー-ハウスと旧帝国議会長の官邸などが見える。

RESTAURANT

Blick vom nördlichen Ufer der Spree auf die Marschallbrücke und das Hauptstadtstudio der ARD.

View from the north bank of the Spree onto the Marschallbrücke and ARD's Berlin television studios.

Il Marschallbrücke e gli studi di Berlino dell'emittente radiotelevisiva ARD visti dalla riva settentrionale della Sprea.

マーシャルブリュッケ橋とARD放送局のベルリンスタジオとをシュプレー川北岸から望む。

Das Brandenburger Tor, flankiert von den zwei Flügelbauten, im Farbenspiel des Sonnenuntergangs.

The Brandenburger Tor, flanked by its two wings, bathed in the colours of the sunset.

La Porta di Brandeburgo ed i due corpi laterali che la fiancheggiano immersi nella cangiante luce del tramonto.

2つの翼にあたる建物に囲まれ、日没の色に映えるブランデンブルガー トーア門。

Wellenförmig angelegte Stelenreihen von Peter Eisenmans Denkmal für die ermordeten Juden Europas im ersten Licht eines Sommermorgens; im Hintergrund der Reichstag und die Quadriga auf dem Brandenburger Tor.

Rows of blocks, arranged in a wave-like pattern, part of Peter Eisenman's Memorial to the Murdered Jews of Europe, seen here in the first light of a summer's morning; in the background, the Reichstag and the Quadriga upon the Brandenburger Tor.

Il memoriale per le vittime dell'Olocausto, un labirintico campo di steli progettato da Peter Eisenman, immerso nelle prime luci di un mattino estivo. Sullo sfondo il Reichstag e la quadriga che sovrasta la Porta di Brandeburgo.

ヨーロッパで殺害されたユダヤ人のためのペーター・アイゼンマン記念碑は、波をうつポールで表され、夏の早朝の日差しの中に立つ。背景にドイツ帝国議事堂とブランデンブルガートーア門のカドリガが見える。

Der ehemalige Preußische Landtag an der Leipziger Straße, heute Sitz des Bundesrates.

The former Prussian State Parliament on Leipziger Straße, today seat of the Bundesrat, the Federal Council of Germany.

L’ex Parlamento prussiano sulla Leipziger Straße, oggi sede del Bundesrat, il Consiglio federale.

ライプツィガーシュトラーセ通りのかつてのプロイセンの州議会には今日では連邦参議院がある。

DB
BEISHEIM · CENTER
POTSDAMER

Die Quadriga des Brandenburger Tors vor der Hochhauskulisse des Potsdamer Platzes.

The Quadriga on the Brandenburger Tor, in front of the high-rise backdrop of Potsdamer Platz.

La quadriga della Porta di Brandeburgo sullo scenografico sfondo dei grattacieli della Potsdamer Platz.

ポツダマー プラッツ広場の高層ビル群を背景にしたブランデンブルガー トーア門のカドリガ。

DB

Die Rückansicht des Sony Centers am Potsdamer Platz; im Vordergrund der Henriette-Herz-Park.

The rear view of the Sony Center at Potsdamer Platz, with Henriette-Herz-Park in the foreground.

Veduta del retro del complesso del Sony Center a Potsdamer Platz. In primo piano il parco intitolato a Henriette Herz.

ポツダマー プラッツ広場のソニーセンターを後ろから見る。前がヘンリエッテ-ヘルツ-パルク公園。

DB

Die elliptische, aus Stahl, Glas und Glasfasergewebe bestehende schirmartige Dachkonstruktion über dem Forum des Sony Centers.

The elliptical, umbrella-shaped roof construction of steel, glass and fibre glass over the forum of the Sony Center.

La copertura ellittica in acciaio, vetro e tessuto in fibra di vetro che sovrasta la piazza centrale del Sony Center come un gigantesco ombrello.

ソニーセンター広場上の屋根は、鋼鉄とガラスとグラスファイバーからなる楕円形の傘状構造である。

FORUM
APARTMENTS

Blick vom Eingang zum Sony Center auf das Büro- und Geschäftshaus von Hans Kollhoff und das Madison Hotel an der Potsdamer Straße.

View of the office and retail building, designed by Hans Kollhoff, and the Madison Hotel, located on the Potsdamer Straße, seen from the entrance to the Sony Center.

Il palazzo direzionale progettato da Hans Kollhoff e l'Hotel Madison sulla Potsdamer Straße visti dall'ingresso del Sony Center.

ソニーセンター入り口からポツダマー シュトラーセ通りにあるオフィス・商店ビル、ハンス・コルホフビルとマディソンホテルを望む。

Das Areal des Kulturforums mit der Gemäldegalerie (linker unterer Bildrand), der Matthäikirche, dem Kupferstichkabinett und der Kunstbibliothek (unten Mitte) sowie Kammermusiksaal und Philharmonie (links).

The site of the Kulturforum, with the Gemäldegalerie (bottom left of picture), the Matthäikirche, the Museum of Prints and Drawings and the Art Library (bottom centre), as well as the Kammermusiksaal and the Philharmonie (left).

Il complesso del Kulturforum composto dalla Pinacoteca (sul margine inferiore della foto a sinistra), la Matthäikirche, il Kupferstichkabinett e la Kunstbibliothek – la biblioteca di storia dell'arte – (in basso al centro) oltre alla Kammermusiksaal e alla Philharmonie (a sinistra).

文化センター界隈には絵画美術館(写真左下端)、マッテイキルヒェ教会、銅版エッチング美術館、芸術図書館(下中)に並び室内楽ホールとフィルハーモニー(左)がある。後方にポツダマー プラッツ広場の高層ビル群が見える。

Der mit gelben Aluminiumplatten verkleidete Bau des Kammermusiksaals am Matthäikirchplatz.

The Kammermusiksaal building on Matthäikirchplatz, with its yellow aluminium-sheeted façade.

La facciata rivestita di pannelli gialli d'alluminio della Kammermusiksaal che s'affaccia sulla Matthäikirchplatz.

マッテイキルヒェ教会広場にある黄色のアルミニウム板で化粧された室内楽ホール。

Die Südseite des Daimler-Chrysler-Areals am Potsdamer Platz mit Wohn- und Bürohäusern; im Vordergrund der Tilla-Durieux-Park.

The south side of the Daimler-Chrysler site on Potsdamer Platz with residential and office buildings; in the foreground, the Tilla-Durieux-Park.

Il lato sud del complesso DaimlerChrysler a Potsdamer Platz con i suoi palazzi residenziali e direzionali. In primo piano il parco intitolato a Tilla Durieux.

ポツダマー プラッツ広場のダイムラークライスラービルの南面にある建物の中にはオフィスやマンションが入っている。手前にはティラ-デュリオー-パルク公園。

ERNST
LUDWIG
KIRCHNER

Die Matthäikirche mit Kupferstichkabinett und Kunstbibliothek (links) sowie dem Kammermusiksaal; rechts im Vordergrund das Stahldach der Neuen Nationalgalerie, dahinter ist ein Teil der Staatsbibliothek sichtbar.

The Matthäikirche with the Museum of Prints and Drawings, the Art Library (left), and the Kammermusiksaal. In the foreground, to the right, the steel roof of the Neue Nationalgalerie; visible behind it is part of the Staatsbibliothek (National Library).

La Matthäikirche affiancata dal Kupferstichkabinett e dalla Kunstbibliothek (a sinistra), e la Kammermusiksaal. A destra, in primo piano, il tetto in acciaio della Neue Nationalgalerie, dietro cui s'intravede una parte della Biblioteca Nazionale.

マッテイキルヒェ教会、銅版エッチング美術館、芸術図書館（左）と室内楽ホール。右手前に新国立美術館の鉄屋根、その後ろに、文化センターの右端に位置する国立図書館の一部が見えている。

DB
HYATT
IMAX
DAIMLERCHRYSLER

Blick aus südlicher Richtung auf das Hochhaus der Debis-Zentrale, das den Abschluss des Potsdamer-Platz-Areals zum Landwehrkanal hin bildet; rechts im Hintergrund der Fernsehturm am Alexanderplatz.

View from the south of the high-rise Debis headquarters, located on the outer edge of the Potsdamer Platz site, adjacent to the Landwehrkanal; in the background, on the right, the television tower at Alexanderplatz.

Vista da sud del grattacielo che ospita la sede centrale della Debis e delimita il perimetro del complesso della Potsdamer Platz verso il Landwehrkanal. A destra, sullo sfondo, la torre della televisione di Alexanderplatz.

南より眺めたデビスセンターの高層ビルは、ポツダマー プラッツ広場一帯をランドヴェアカナール運河へと導く。右後方にアレクサンダー プラッツ広場のテレビ塔が見える。

Deutsches Technikmuseum Berlin

Das Deutsche Technik-museum Berlin in Kreuzberg mit dem »Rosinenbomber«, der an die Luftbrücke der Alliierten 1948/49 erinnert; im Vordergrund der Landwehrkanal.

The Deutsches Technik-museum Berlin in Kreuzberg with the "Rosinenbomber", which stands as a memorial to the Allied Airlift of 1948/49; in the foreground, the Landwehrkanal.

Il Museo della Tecnica di Berlino, nel quartiere di Kreuzberg, con il «Rosinenbomber», il cacciabombardiere simbolo del ponte aereo organizzato dagli alleati tra il 1948 ed il 1949. In primo piano scorre il Landwehrkanal.

ベルリンのクロイツベルク地区にあるドイツ技術博物館の「ロジーネンボンバー」は、1948/49年の連合軍の空輸による空の橋を思い出させる。手前はランドヴェアカナール運河。

Cartier-
DER KREML

Die Eingangsfront des Martin-Gropius-Baus, des ehemaligen Kunstgewerbe-museums, nun eines der großen Ausstellungshäuser in Berlin; links das Standbild des Freiherrn vom Stein vor dem Abgeordnetenhaus.

The front and main entrance of the Martin-Gropius-Bau, the former Museum of Applied Arts, now one of the largest exhibition halls in Berlin; on the left, the statue of Freiherr vom Stein in front of the Abgeordne-tenhaus, the Berlin State Parliament.

Il fronte principale del Martin-Gropius-Bau, il palazzo ex sede del Museo delle Arti Applicate ed oggi uno dei maggiori spazi espositivi di Berlino. A sinistra, davanti alla Camera dei deputati, troneggia la statua del Barone von Stein.

マルティン-グローピウス-バウ館の正面入り口。かつて工芸美術博物館であったが、今ではベルリン最大の展覧会場のひとつである。左は議員会館前のフライヘア フォン シュタイン公立像。

Klassizistische Architektur am Gendarmenmarkt: der ionische Portikus über der Freitreppe des von Karl Friedrich Schinkel erbauten Schauspielhauses, des jetzigen Konzerthauses, und der Deutsche Dom (links).

Classical architecture at the Gendarmenmarkt: the Ionic portico over the flight of steps at the entrance to Karl Friedrich Schinkel's Schauspielhaus, now the Konzerthaus, and the Deutscher Dom (left).

Il complesso classicistico di Gendarmenmarkt: il portica-to ionico in cima alla scali-nata dello Schauspielhaus, il teatro progettato da Karl Friedrich Schinkel ed oggi sede del Konzerthaus, e (a sinistra) il Duomo Tedesco.

ジャンダルメンマルクト広場の擬古典主義の建物：カール フリードリヒ・シンケルによって建てられた劇場は今、コンサートホールである。その前の戸外階段を見下ろすイオニア式のポルティクスとドイツ大聖堂（左）。

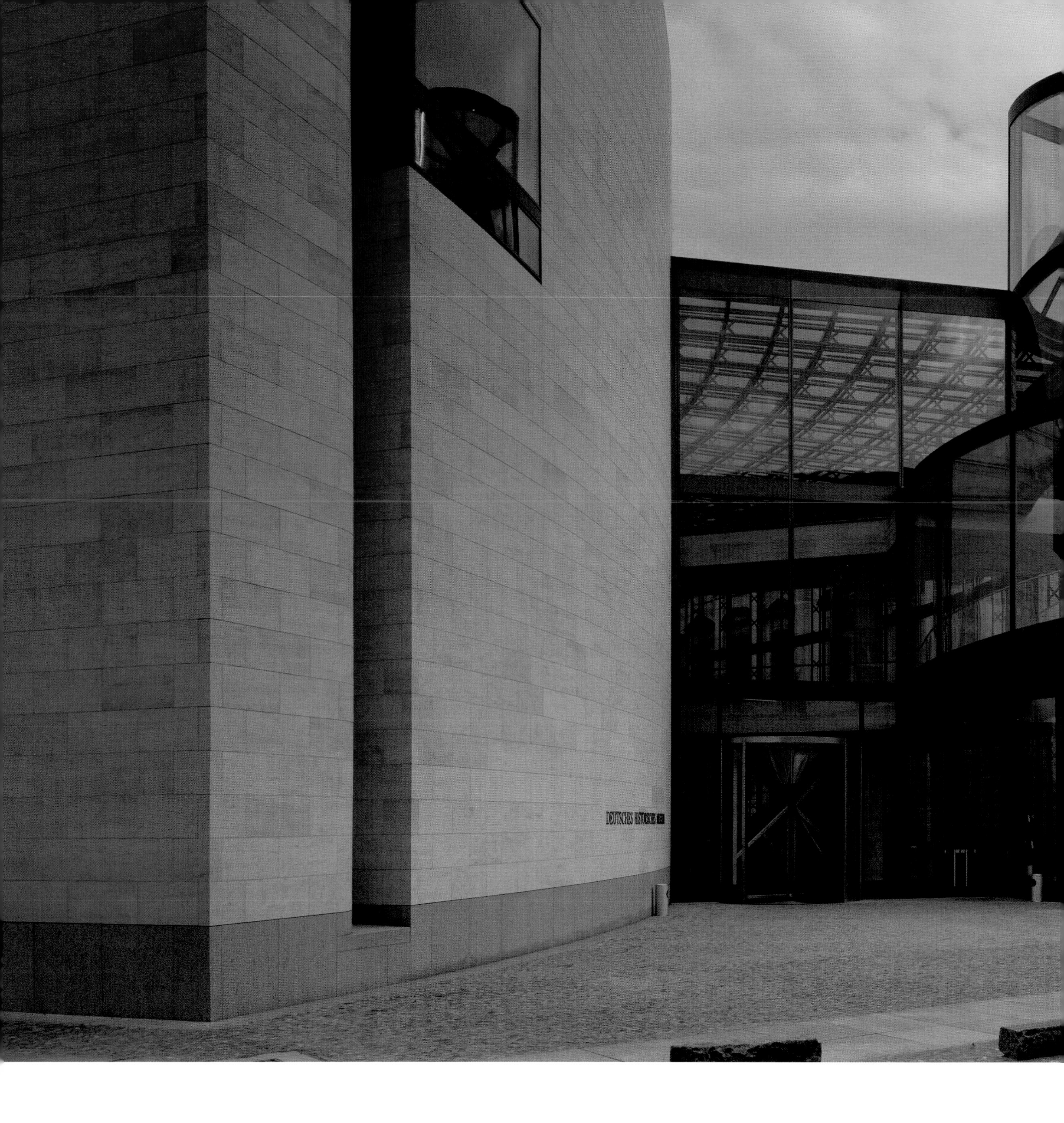
DEUTSCHES HISTORISCHES

Das Ensemble des Deutschen Historischen Museums: links der kürzlich vollendete Erweiterungsbau von Ieoh Ming Pei mit dem gläsernen Treppenturm, rechts das Zeughaus.

The Deutsches Historisches Museum ensemble: on the left, the recently completed extension by Ieoh Ming Pei with its glass stairwell tower, and on the right, the Zeughaus, the former Armoury.

Il complesso del Deutsches Historisches Museum: a sinistra la nuova ala del museo, progettata da Ieoh Ming Pei e recentemente ultimata, di cui si intravede la torre in vetro con la scala elicoidale. A destra lo Zeughaus, l'ex Arsenale.

ドイツ歴史博物館のアンサンブル：左は最近出来上がったヨー・ミン・ペイ建築になるガラス階段作りの増築部、その右がツォイクハウス、兵器庫である。

Die Hauptfront des von Karl Friedrich Schinkel entworfenen Alten Museums am Lustgarten mit einem Teil der Säulenhalle und einer bronzenen Reitergruppe auf der Freitreppe.

The front of Karl Friedrich Schinkel's Altes Museum at the Lustgarten, with part of the columned hall and, on the steps, an equestrian statue sculpted in bronze.

Il fronte principale dell'Altes Museum di Karl Friedrich Schinkel, affacciato sul Lustgarten, con un particolare del porticato ed un gruppo equestre bronzeo sulla scalinata.

カール フリードリヒ・シンケルの構想による旧美術館、ダスアルテ ムゼウムはルストガルテン庭園に面し、柱廊の一部と戸外階段上の騎馬ブロンズ像が見える。

Die Alte Nationalgalerie auf der Museumsinsel mit dem Reiterstandbild von König Friedrich Wilhelm IV. im Zentrum der Freitreppe.

The Alte Nationalgalerie on the Museumsinsel with the statue of King Friedrich Wilhelm IV on horseback at the centre of the steps.

La Alte Nationalgalerie sull'Isola dei Musei con la statua equestre del re prussiano Federico Guglielmo IV, che spicca al centro della scalinata.

美術館の島にある旧国立美術館と戸外階段の中央のフリードリヒ・ヴィルヘルム四世王騎馬像。

Blick über die Schlossbrücke auf die wieder aufgebaute Alte Kommandantur, Unter den Linden 1; im Hintergrund die Friedrichwerdersche Kirche.

View across the Schlossbrücke towards the reconstructed Alte Kommandantur at 1 Unter den Linden; in the background, the Friedrichwerdersche Kirche.

Vista al di là dello Schlossbrücke sulla Alte Kommandantur, al numero 1 della Unter den Linden. Sullo sfondo la Friedrichwerdersche Kirche.

ウンター・デン・リンデン通り1番地のシュロスブリュッケ橋に再建された旧司令部。その奥はフリードリヒヴェルダーの教会。

Die Ende des 17. Jahrhunderts errichtete Jungfernbrücke, die letzte erhaltene Zugbrücke Berlins, dahinter die ehemalige Reichsbank, heute Sitz des Auswärtigen Amtes.

The Jungfernbrücke, constructed at the end of the 17th century, is the last remaining original drawbridge in Berlin. Behind it the former Reichsbank, today the seat of the Foreign Office.

Il Jungfernbrücke, l'ultimo ponte levatoio ancora conservato a Berlino, fu costruito alla fine del XVII secolo. Dietro, l'ex Reichsbank oggi sede del Ministero Federale degli Esteri.

17世紀末に出来上がったユングフェルンブリュッケ橋。ベルリンで最後に残された鉄橋である。その後ろにかつての帝国銀行、現外務省が見える。

Die Stadtmitte Berlins im Überblick; im Zentrum der Fernsehturm am Alexanderplatz, links daneben der Berliner Dom, rechts ragen der Turm des Roten Rathauses und der Zwillingsturm der Nikolaikirche aus dem Häusermeer.

A view of Berlin's city centre; in the middle, the television tower at Alexanderplatz, beside it on the left, the Berliner Dom. On the right, rising up from the sea of buildings, are the tower of the Rotes Rathaus, and the twin-spired tower of the Nikolaikirche.

Scorcio del centro di Berlino: al centro della foto la torre della televisione di Alexanderplatz, alla sua sinistra il Berliner Dom; a destra una distesa di tetti sovrastata dalla torre del Municipio rosso e dalla torre gemella della Nikolaikirche.

ベルリンの中心部を一望する。中央はアレクサンダープラッツ広場のテレビ塔、その左にベルリン大聖堂、右に赤の市役所、ニコライキルヒェ教会の双塔とドイツとフランスのドームが家並の中に立っている。

Am rechten Spreearm liegen der neobarocke Bau des Neuen Marstalls, der heute die Stadtbibliothek beherbergt, der ehemalige Palast der Republik und der Dom; die Häuser rechts gehören zum Nikolaiviertel.

Along the right arm of the River Spree stand the neobaroque building of the Neue Marstall, today the home of the city library, the former Palast der Republik and the Berliner Dom; the buildings on the right are part of the Nikolaiviertel.

Lungo il braccio destro della Sprea sorgono l'edificio neobarocco del Neuer Marstall, ex scuderie reali ed oggi sede della Biblioteca Civica, l'ex Palast der Republik ed il Duomo protestante. Le case sulla destra fanno parte del Nikolaiviertel.

シュプレー川の右の支流沿いに、現在は市立図書館が入っている新厩舎のネオバロック建築、かつてのパラスト・デア・レプブリクとドームがある。右に見える家々はニコライ地区のもので、ドームの横に新しいシナゴーグの丸屋根が遠く輝いている。

Blick auf die Mitte Berlins aus südöstlicher Richtung: links der Büroturm des Internationalen Handelszentrums, in der Mitte die Kuppeln von Dom und Stadthaus, rechts der Turm des Roten Rathauses.

View of the centre of Berlin from the southeast: on the left, the office tower of the International Trade Centre, in the middle, the domes of the Berliner Dom and the Stadthaus, and, on the right, the tower of the Rotes Rathaus, the city hall.

Vista da sud-est sul centro di Berlino: a sinistra il grattacielo direzionale sede dell'IHC, il Centro Internazionale del commercio, al centro la cupola del Duomo e la Stadthaus, a destra la torre del Municipio rosso.

南東方向から見たベルリンの中心部には、左に国際貿易センターのオフィス塔、その隣にニコライキルヒェ教会、中央にドームと市当局の建物、そしてその右に赤い市役所の塔が見える。

Coca-Cola

Die Silhouetten der Oberbaumbrücke, die Kreuzberg und Friedrichshain verbindet, und des Fernsehturms vor der untergehenden Sonne.

The silhouettes of the Oberbaumbrücke, the bridge which links Kreuzberg with Friedrichshain, and the television tower, seen against the background of the setting sun.

La silhouette dell'Oberbaumbrücke, il ponte che collega i quartieri di Kreuzberg e Friedrichshain, e la torre della televisione sullo sfondo del sole che tramonta.

クロイツベルク地区とフリードリヒスハイン地区を結ぶオーバーバウムブリュッケ橋とテレビ塔が日没の光の中にシルエットとして浮かぶ。

Das barocke Köpenicker Schloss, heute als Kunstgewerbemuseum genutzt.

The baroque castle Schloss Köpenick, today home of the Kunstgewerbemuseum, the Museum of Applied Arts.

L'edificio barocco del Castello di Köpenick, oggi sede di un museo d'arti applicate.

現在手工芸博物館のある、バロックのキョペニック城。

Blick vom Bellevueufer auf die Lutherbrücke; rechts die nördliche Umgrenzungsmauer des Parks von Schloss Bellevue.

View of the Lutherbrücke from the river bank at Bellevueufer; on the right, the northern perimeter wall of Schloss Bellevue Park.

Vista del Lutherbrücke dalla Bellevueufer; a destra del ponte, il lato nord del muro perimetrale del parco del Castello di Bellevue.

ベルヴュー岸よりルターブリュッケ橋を望む。右はベルヴュー城の庭の北塀である。

Die auf einem achteckigen Sockel ruhende Säulenhalle der Siegessäule am Großen Stern im Tiergarten.

Resting on an octagonal base, the columned hallway of the Siegessäule memorial at the Großer Stern in Tiergarten.

Il porticato della Siegessäule – la colonna della Vittoria al centro del rondò del Großer Stern, a Tiergarten – poggiante su un basamento ottagonale.

八角形の台座の上の柱廊は、ティアガルテン地区グローサー シュテルンにある勝利の柱のものだ。

SORAT
HOTEL HOTEL

Die Moabiter Brücke über die Spree; in der rechten Bildhälfte die beiden Kopfbauten des U-förmigen Bundesinnenministeriums, links das Sorat Hotel, das in den umgebauten Räumen der ehemaligen Meierei Bolle residiert.

The Moabiter Brücke across the Spree; on the right side of the picture, the rounded front ends of the U-shaped Federal Ministry of the Interior; on the left, the Sorat Hotel, which resides in the converted premises of the former Bolle dairy business.

Il Ponte di Moabit sulla Sprea. Nella metà destra dell'immagine sono visibili le estremità delle due ali del palazzo ad U sede del Ministero degli Interni e, alla sua sinistra, l'Hotel Sorat che occupa gli spazi dell'ex caseificio Bolle.

シュプレー川にかかるモアビーターブリュッケ橋。写真右半分は上級行政裁判所とU字型の連邦内務省のふたつの建物で、左は、ソラートホテル、かつてのボレ乳製品製造工場が改築されたものだ。

Das mächtige metallene Segel auf dem von Josef Paul Kleihues entworfenen Bürohaus am Kant-Dreieck.

The mighty metallic sail atop the office building at Kant-Dreieck, designed by Josef Paul Kleihues.

La gigantesco vela metallica sul tetto del centro direzionale Kant Dreieck, progettato da Josef Paul Kleihues.

カント-ドライエックにある、ヨゼフ パウル・クライフース構想によるオフィスビルの上の巨大な鋼鉄の帆。

FITNESS
GLORIA
Dresdner Bank

Die City West mit dem Torso der im Zweiten Welt-krieg stark beschädigten Kaiser-Wilhelm-Gedächtnis-kirche und dem Glocken-turm von Egon Eiermann; links der Hochhausriegel des Neuen Kranzler-Ecks.

The City West with the torso of the Kaiser-Wilhelm-Gedächtniskirche, which was heavily damaged during World War II, and the bell tower, designed by Egon Eiermann; on the left, the high-rise block of the New Kranzler-Eck.

La City West con il tron-cone della Kaiser Wilhelm Gedächtniskirche, grave-mente danneggiata durante la seconda guerra mondia-le, ed il moderno campa-nile della chiesa, opera di Egon Eiermann. A sinistra la fuga di grattacieli del Neues Kranzler Eck.

ベルリン西と、二次大戦ですっかり破壊されたヴィルヘルム皇帝記念教会のトルソーとエゴン・アイアーマンによる鐘塔。新カンツラー-エックにある高層ビルの構えが左に見える。

Fünfgeschossiges Wohn- und Geschäftshaus am Kurfürstendamm/Ecke Leibnizstraße, erbaut 1905–1907, ein typisches Beispiel großbürgerlicher Wohnarchitektur um die Jahrhundertwende.

Five-storey residential and office building at the corner of Kurfürstendamm and Leibnizstraße, built in 1905-1907, a typical example of upper-middle class residential architecture at the turn of the last century.

Palazzo per abitazioni ed uffici all'angolo Kurfürstendamm/Leibnizstraße: l'edificio di cinque piani costruito tra il 1905 ed il 1907 è un classico esempio dello stile architettonico alto borghese dell'epoca a cavallo tra '800 e '900.

クアフュルステンダム通りとライプニッツシュトラーセ通りの角にある、1905–1907年に建てられた建物。5階建てで、マンションや店が入っている。世紀の変わり目頃の典型的な富裕市民住宅建築の一例だ。

Schloss Charlottenburg mit dem von Wenzeslaus von Knobelsdorff bis 1746 gebauten östlichen »Neuen Flügel«.

Schloss Charlottenburg with the eastern wing, the “Neuer Flügel”, built by Wenzeslaus von Knobelsdorff and completed in 1746.

Il Castello di Charlottenburg con l’ala orientale realizzata su progetto di Wenzeslaus von Knobelsdorff ed ultimata nel 1746.

1746年にヴェンツスラウス・フォン・クノーベルスドルフにより建てられたシャルロッテンブルク城の東の「新翼」。

Schloss Charlottenburg mit der von Eosander von Goethe Anfang des 18. Jahrhunderts errichteten Alten Orangerie.

Schloss Charlottenburg, with the Alte Orangerie, built by Eosander von Goethe at the beginning of the 18th century.

Il Castello di Charlottenburg con la Vecchia Orangerie, costruita agli inizi del XVIII secolo da Eosander von Goethe.

シャルロッテンブルク城と、エオザンダー・フォン・ゲーテにより18世紀初頭に建てられた旧オランジェリー。

Das von Hans Poelzig entworfene, 1929–1931 gebaute Haus des Rundfunks an der Masurenallee; die über 150 Meter lange Hauptfront ist mit schwarzblauen Lausitzer Klinkern verblendet.

The Haus des Rundfunks (Broadcasting House) on Masurenallee, designed by Hans Poelzig and built in 1929-1931. The more than 150-metre-long façade is faced with blackish-blue Lausitzer brick.

Il palazzo sede della Haus des Rundfunks, progettato da Hans Poelzig e costruito tra il 1929 ed il 1931 lungo la Masurenallee. La facciata principale, che si sviluppa per più di 150 metri, è rivestita in clinker blu scuro della Lausitz.

ハンス・ピョルツィヒにより1929–1931年に考案された放送の家。マズーレンアレー通りにある。150メートル以上ある正面は、青と黒のラウジッツタイル張りである。

AIR-BERLIN
INTERSPORT
CINEMAX

Das nach Entwürfen von Werner March zu den Olympischen Spielen im Jahr 1936 errichtete, in den Jahren 2000 bis 2004 aufwendig sanierte Olympiastadion von Berlin.

The Berlin Olympic Stadium, which was built for the Olympic Games in 1936, following a design by Werner March. The stadium underwent extensive renovation between 2000 and 2004.

Lo Stadio Olimpico di Berlino, costruito dall'architetto Werner March per le Olimpiadi del 1936 ed ampiamente ristrutturato tra il 2000 ed il 2004.

ヴェルナー・マーチの考案で1936年のオリンピックのために建てられたベルリンのオリンピックスタジアムは 2000年から2004年までかかって大幅に修復された。

Die 1997 fertig gestellte Spandauer Seebrücke in der Spandauer Wasserstadt.

The Spandauer Seebrücke in Spandau's Wasserstadt, completed in 1997.

Il Spandauer Seebrücke, il ponte ultimato nel 1997 nella Spandauer Wasserstadt.

1997年に仕上がったシュパンダウアーゼーブリュッケ橋は、シュパンダウの水都にある。

Schloss Babelsberg, 1835–1849 als Sommerdomizil für Prinz Wilhelm, den späteren Kaiser Wilhelm I., und seine Frau Auguste erbaut.

Schloss Babelsberg, which was built 1835-1849 as a summer residence for Prince Wilhelm, later Kaiser Wilhelm I, and his wife, Auguste.

Il Castello di Babelsberg, eretto tra il 1835 ed il 1849 come residenza estiva per il principe Guglielmo – il futuro imperatore Guglielmo I – e per la moglie Auguste.

バベルスベルク城は1835–1849年に後の皇帝ヴィルヘルム一世、当時のヴィルヘルム皇太子とその妻アウグステ、のための夏城として建てられた。

Blick über den Heiligen See auf den Neuen Garten und das Marmorpalais, 1787–1792 im Auftrag von König Friedrich Wilhelm II. erbaut.

View across Heiliger See to the Neuer Garten and the Marmorpalais, which was built 1787-1792 on the orders of King Friedrich Wilhelm II.

Vista sul Neuer Garten e sul Marmorpalais al di là del lago di Heiliger See, costruiti entrambi tra il 1787 ed il 1792 per volontà di Federico Guglielmo II.

ハイリゲンゼー湖の彼方に、1787–1792年にフリードリヒ・ヴィルヘルム二世の命により造られた新庭園と大理石宮殿を望む。

Die Parkseite des Schlosses Sanssouci, der 1745–1747 errichteten Sommerresidenz Friedrichs II.

The park side of Schloss Sanssouci, Friedrich II's summer residence, constructed in 1745-1747.

Lato verso il parco del Castello di Sanssouci, la residenza estiva di Federico II eretta tra il 1745 ed il 1747.

1745–1747年にフリードリヒ二世の夏城として建てられたサンスーシー城の庭園側。

Das 1763–1769 im Stil des friderizianischen Rokoko errichtete Neue Palais am Rand des Parks von Sanssouci.

The Neues Palais, on the edge of Sanssouci Park, built in 1763-1769 in the rococo style associated with Frederick the Great.

Il Neues Palais, il palazzo al limitare del Parco di Sanssouci costruito tra il 1763 ed il 1769, è espressione del rococò fridericiano.

1763–1769年にフリードリヒ二世時代のロココ調に建てられた新宮殿はサンスーシー城の庭園の端に位置する。

Die Golfanlage des Golf und Country Clubs am Seddiner See bei Wildenbruch in der Nähe Berlins.

The golf course at the Golf and Country Club Seddiner See at Wildenbruch, near Berlin.

Campo da golf e country club sulle rive del Seddiner See vicino a Wildenbruch, nei dintorni di Berlino.

セッディーナーゼーにあるゴルフカントリークラブのゴルフ場はベルリン近郊のヴィルデンブルッフにある。

Spätsommerlandschaft am Nordrand der Schorfheide in der südlichen Uckermark.

Late summer landscape on the north edge of the Schorfheide in the southern Uckermark region.

Paesaggio al limitare nord della Schorfheide, a sud della regione dell'Uckermark, fotografato a tarda estate.

ウッカーマルク南に位置するショルフハイデの北端の晩夏風景。

Verschneite Landschaft bei Fehrbellin.

Snow-covered landscape near Fehrbellin.

Paesaggio innevato nei pressi di Fehrbellin.

フェーアベリン近郊の雪景色。